Nascimento de Jesus

Vivia em Nazaré, uma pequena cidade da Galileia, uma jovem virgem e pura chamada Maria. Ela estava noiva de José.

Um dia, quando ela se encontrava sozinha, fazendo suas orações, o anjo Gabriel apareceu e disse:

— Alegre-se Maria! O Senhor escolheu você! — Maria, assustada, procurava compreender as palavras do anjo.

— Não tenha medo Maria, porque Deus resolveu abençoá-la grandemente. Você terá um filho a quem chamará de Jesus. Ele será o Filho do Altíssimo e reinará para sempre.

— Como isso será possível? Não sou casada ainda — disse Maria.

— Pelo poder e obra do Espírito Santo você conceberá.

Seu filho será chamado "O Filho de Deus".

Disse, então, Maria:

— Eis aqui a serva do Senhor, cumpra-se em mim a vontade de Deus.

E aconteceu, tempos depois, que o imperador Cesar Augusto decretou um recenseamento.

Cada pessoa deveria se registrar na cidade onde havia nascido. José e Maria eram de Belém, a cidade do rei Davi, e para lá partiram. Maria estava grávida. A viagem era longa e cansativa.

Ao chegarem em Belém, procuraram em vão um lugar nas hospedarias. Encontraram lugar somente em uma estrebaria, no meio dos animais. E ali nasceu o menino, que a mãe docemente envolveu em panos e colocou a dormir na manjedoura.

Pastores estavam no campo, nos arredores da cidade, vigiando seus rebanhos. Era noite. De repente viram no céu uma intensa luz e a Glória de Deus iluminou tudo ao redor.

O anjo do Senhor apareceu. Os pastores ficaram assustados, mas o anjo disse a eles:

— Não tenham medo. Venho anunciar uma grande alegria para todos. Hoje, em Belém, nasceu o Salvador. Ele é Jesus Cristo, o Senhor. Vocês o encontrarão, é um bebê envolto em panos, deitado em uma manjedoura.

E, no mesmo instante, uma multidão de anjos apareceu no céu louvando a Deus e dizendo:

— Glória a Deus nas alturas e paz na Terra aos homens a quem Ele ama.

Quando os anjos foram embora, os pastores correram até Belém. Encontraram Maria, José e o menino deitado numa manjedoura. Contaram a todos sobre o que os anjos disseram e sobre o bebê Jesus.

As pessoas que ouviam a história ficavam maravilhadas. Três magos que viviam no Oriente viram no céu uma estrela diferente, de grande esplendor. Era o sinal que eles aguardavam há muito tempo: o Salvador havia nascido. Seguindo na direção da estrela, saíram de seu país e chegaram em Jerusalém.

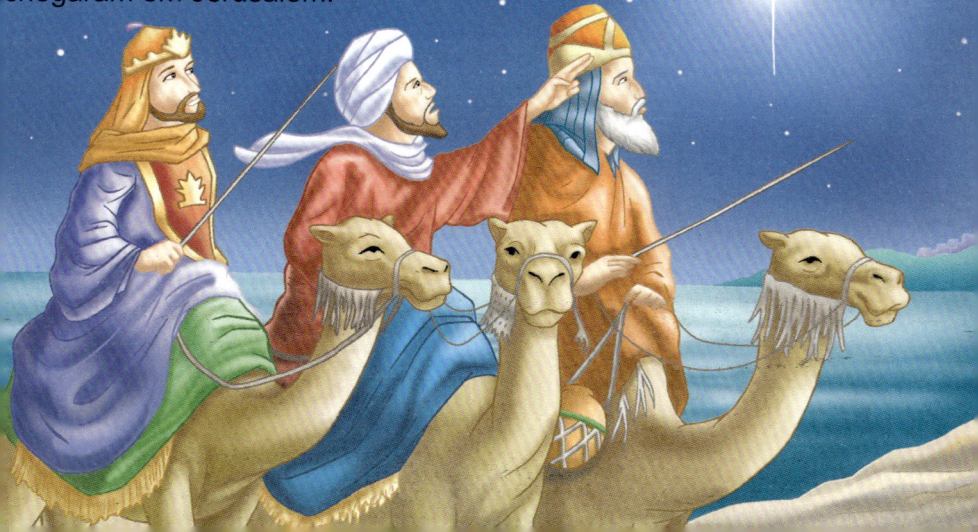

— Onde está aquele que nasceu, o rei dos judeus? —perguntaram os magos.

— Vimos a sua estrela no Oriente e viemos adorá-lo.

O rei Herodes ficou preocupado quando ouviu o que os magos disseram. Chamou em segredo os magos e pediu:

— Procurem o menino até achá-lo. Então mandem me avisar, para que eu possa adorá-lo também.

Os magos partiram, sempre dirigidos pela estrela, até que, chegando sobre o lugar onde estava o menino, a estrela parou. Eles entraram, se ajoelharam e adoraram o menino. Trouxeram-lhe presentes: ouro, incenso e mirra.

Deus avisou os magos em sonhos para não voltarem a procurar Herodes. Partiram para sua terra por outro caminho.

Assim que os magos se foram, um anjo apareceu a José em sonho, dizendo:

— Levante-se, pegue o menino e a mãe e fuja para o Egito. Fiquem por lá até que eu avise a hora de voltar, porque Herodes vai procurar o menino para matá-lo.

José levantou-se, pegou Jesus e Maria e, mesmo de noite, foram para o Egito. Permaneceram lá até a morte de Herodes. De volta a Nazaré, o menino Jesus crescia e a Graça de Deus estava com ele.

João Batista

Na época em que Herodes governava a Judeia, vivia um sacerdote de nome Zacarias. Ele e sua mulher Isabel não tinham filhos e já eram muito idosos. Um certo dia, estava Zacarias no templo fazendo as oferendas de incenso, quando um anjo apareceu.

Zacarias vendo o anjo assustou-se. Disse-lhe o anjo: — Não tenha medo, Zacarias! Suas orações foram ouvidas. Isabel, sua mulher, terá um filho, seu nome será João. Abençoado e cheio do Espírito Santo, será o mensageiro que irá preparar os caminhos do Senhor.

Disse, então, Zacarias ao anjo:

— Como posso ter certeza que será assim? Já sou muito velho e minha mulher também!

O anjo respondeu:

— Eu sou Gabriel, o mensageiro de Deus. Fui enviado para lhe dar a boa-nova. Por ter duvidado de minhas palavras, ficará mudo até que tudo se cumpra.

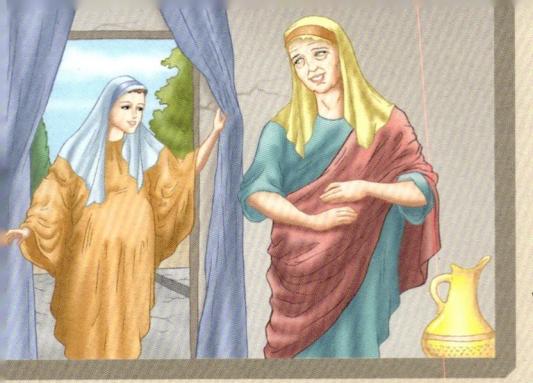

Passados seis meses depois daquele dia, Maria, que também estava grávida (ela seria mãe de Jesus), foi visitar Isabel, sua prima.

Ao entrar na casa, Maria saudou Isabel e a criancinha que estava no ventre de Isabel agitou-se.

Isabel exclamou:

— Bendita é você Maria entre as mulheres e bendito é o filho que você espera. Quando ouviu a sua voz meu filho saltou de alegria dentro de mim. Feliz é aquela que acreditou no Senhor, pois todas as suas promessas se cumpriram.

Meses depois, Isabel deu à luz ao seu filho. Vizinhos e parentes foram visitá-la. Sugeriram que colocassem o mesmo nome do pai: Zacarias Isabel falou:

— O nome dele é João.

— Mas não há ninguém na família com esse nome! — disseram eles.

Perguntaram então para Zacarias, que até aquele momento permanecia mudo. Ele escreveu numa tabuinha: "Seu nome é João". Naquele instante a sua língua soltou-se e voltou a falar. Zacarias então louvou a Deus pelo seu filho. O menino crescia e se fortalecia em espírito e foi para o deserto, até o dia em que se apresentaria diante do povo.

No devido tempo, João, já um homem feito, percorreu toda a terra ao redor do rio Jordão, pregando o batismo do arrependimento.

Vestia-se com uma pele de camelo e um cinto de couro. Alimentava-se de gafanhotos e mel silvestre.

O povo ouvia a pregação, arrependia-se e era batizado por ele no rio Jordão. Passou então a ser chamado de João Batista.

João pregava:

— O machado está posto sobre a raiz das árvores, toda a árvore que não der bons frutos, será cortada e lançada no fogo.

E a multidão perguntava:

— Que devemos fazer?

João ensinava:

— Quem tiver duas túnicas reparta com quem não tem, quem tiver alimentos faça da mesma maneira.

Todos se perguntavam se ele era o Cristo que viria para salvar Israel. João Dizia:

— Eu batizo com água, mas eis que vem aquele que é mais poderoso do que eu. Ele batizará vocês com o Espírito Santo.

Então veio Jesus da Galileia para ser batizado por João.

João disse:

— Eu que devo ser batizado por ti e vens tu a mim?

Jesus respondeu:

— Deve ser assim por agora, para que tudo que está escrito se cumpra. — João então concordou e batizou Jesus. Assim que Jesus saiu da água, os céus se abriram e o Espírito Santo desceu como uma pomba sobre Ele. E ouviu-se uma voz do céu, dizendo:

— Este é o meu Filho amado.

João Batista continuou a batizar, a pregar e a apontar os erros e pecados para que o povo se arrependesse.

Passado algum tempo, porque João censurava a Herodes por seus erros, ele foi preso e mais tarde executado. Mas em sua época não houve um mensageiro tão corajoso e fiel a Deus como João Batista, que preparou o caminho para a pregação do salvador do mundo: Jesus Cristo.